LA MÚSICA DE LAS MONTAÑAS

editorial amanuta

LA MÚSICA DE LAS MONTAÑAS
Colección Pueblos Originarios

© del texto: Marcela Recabarren, 2005
© de las ilustraciones: Bernardita Ojeda, 2005
© de esta edición: Editorial Amanuta Limitada, 2017
Santiago, Chile
www.amanuta.cl

Edición: Ana María Pavez y Constanza Recart
Diagramación: Bernardita Ojeda

Séptima edición: junio 2017
N° Registro: 150.688
ISBN: 978-956-8209-26-1
Impreso en Chile por A Impresores S.A.

Este cuento está basado en un relato
aymara de Antonio Landauro.

Editorial Amanuta

Recabarren, Marcela
La música de las montañas: cuento basado en un relato aymara /
Marcela Recabarren; ilustraciones de Bernardita Ojeda.
7ª ed. Santiago: Amanuta, 2017.
[32 p.]: il. col.; 23,5 x 21,5 cm. (colección Pueblos Originarios)
ISBN: 978-956-8209-26-1
1. CUENTOS AYMARAS
I. Ojeda, Bernardita, il. II. Título III. Serie

LA MÚSICA DE LAS MONTAÑAS

Cuento basado en un relato aymara

Marcela Recabarren
Ilustraciones Bernardita Ojeda

editorial amanuta
COLECCIÓN PUEBLOS ORIGINARIOS

Era una tibia mañana de primavera en el altiplano del norte de Chile. Chucu, un niño aymara, se despertó con el bello sonido de las flautas y las bandurrias. Rápidamente se vistió y salió de su casa a ver qué pasaba. Afuera, se encontró con los músicos del pueblo.

—¿Por qué están tocando estas melodías tan bonitas? —les preguntó Chucu.

—Estamos ensayando para la gran fiesta del carnaval —le contestaron los músicos.

En el pueblo la gente se preparaba para el carnaval. Como todos los años, celebrarían para dar las gracias a la Pachamama, la Madre Tierra, por la lluvia que había regado los campos y por los choclos, la quinoa y las frutas que iban a cosechar. También darían gracias por las llamas que les proporcionaban lana para tejer y carne para alimentarse.

"Yo también quiero tocar música en el carnaval", pensó Chucu.
Pero necesitaba un instrumento. Tal vez su abuelo, que era muy sabio,
podría ayudarlo, así es que corrió a verlo.
—¿Abuelo, podrías hacer una flauta para mí? —le preguntó al anciano.
—Por supuesto, querido Chucu —respondió el abuelo y se puso a tallar.
Cuando el instrumento estuvo listo, el niño saltaba de alegría.
—¡Qué linda quedó! —exclamó Chucu.
Ahora podría tocar las más lindas melodías. Sopló su flauta con todas sus fuerzas,
pero solo logró sacarle unas notas desafinadas. Desilusionado, el niño se puso
a llorar. Su flauta no servía.

Pronto, Chucu se dio cuenta de que no solucionaría su problema con el llanto. Así es que tomó su flauta y volvió a pedirle ayuda a su abuelo. El anciano le enseñó a tocar el instrumento. De a poco, Chucu fue aprendiendo, hasta que logró sacarle un par de notas. Pero le faltaba mucho para interpretar las hermosas melodías que los músicos del pueblo tocaban en el carnaval.

Chucu fue donde su mamá, que estaba ocupada moliendo quinoa y granos de choclo, y le preguntó:

—¿Mamá, qué debo hacer para que mi flauta toque las melodías más lindas del mundo?

—Querido Chucu, el único que puede afinar tu flauta para que toque maravillosamente es el Sereno, un espíritu que vive en la vertiente sagrada de las montañas. Tal vez tu abuelo pueda decirte dónde encontrarlo —le respondió su mamá.

Chucu se puso contento. Pensó que con la ayuda del Sereno pronto arreglaría su instrumento.

Chucu encontró a su abuelo en el campo de quinoa.

—Por favor, dime cómo puedo llegar hasta la vertiente sagrada donde vive el Sereno —le rogó Chucu.

El abuelo le dijo que el camino era demasiado peligroso para un niño, pero Chucu insistió e insistió hasta que una tarde su abuelo le dijo:

—Querido Chucu, veo que estás decidido. Pues bien, te diré cómo llegar a la vertiente, pero debes prometerme que tendrás mucho cuidado. El Sereno puede afinar tu instrumento, pero también puede ser malvado y peligroso. Si te mira a los ojos te provocará graves enfermedades.

—¡Gracias, abuelo! Tendré mucho cuidado, te lo prometo —respondió Chucu, mientras abrazaba al anciano.

Como le daba miedo ir solo hasta la vertiente, Chucu le pidió a su hermana que lo acompañara. Así uno cuidaría al otro.

—¿Quieres ir conmigo, hermana? Me voy a las montañas a buscar al Sereno. Quiero que afine mi flauta y haga que suene tan bien como las que tocan los músicos del carnaval —dijo Chucu.

—Sí, yo te acompañaré —le respondió su hermana, entusiasmada con el viaje.

Al amanecer se pusieron en camino. Sin detenerse, pasaron por profundas quebradas, escalaron los cerros de la cordillera de Los Andes y cruzaron arroyos de aguas cristalinas. El sol se escondía cuando los niños llegaron a la vertiente sagrada.

La noche era oscura, sin luna, y a la hermana de Chucu le dio miedo.

—¿Qué haremos ahora? —preguntó ella.

—Dejemos la flauta en la orilla de la vertiente para que el Sereno venga y la afine. Por mientras, esperaremos escondidos detrás de una roca. Así el espíritu no nos verá. Tenemos que tener cuidado, porque si nos mira a los ojos, el Sereno podría hacernos daño —dijo Chucu.

Pasaron largas horas ocultos, sin mover ni un pelo. Pero el Sereno no aparecía. Los hermanos se cansaron de estar agachados detrás de la roca y se asomaron a ver qué pasaba. Entonces Chucu lanzó un grito de horror:

—¡Cuidado, hermana! ¡Agáchate! ¡Parece que viene el Sereno!

Rápidamente, los dos volvieron a esconderse detrás de la roca.

—¡Ojalá que el Sereno no nos haya visto! —exclamó la hermana temblando de miedo.

—Tranquila, tranquila —le dijo Chucu abrazándola con fuerza.

Bien escondidos, los niños escucharon un ruido.

—No te preocupes, hermana. Es solo un sapo —dijo Chucu.

Agotados por el largo viaje y el susto, los niños se quedaron dormidos detrás de la roca. Por mientras, el Sereno emergió de las aguas de la vertiente y se acercó a la flauta de Chucu.

Los niños despertaron a la mañana siguiente, con los primeros rayos del sol. Salieron de su escondite mirando cuidadosamente hacia todos lados, por si el Sereno todavía andaba por ahí.

—No hay nada que temer. Parece que el Sereno ya se fue —le dijo Chucu a su hermana—. Ahora vayamos a buscar mi flauta. Veamos si toca las melodías más lindas del mundo.

El niño recogió su instrumento, se lo llevó hasta los labios y sopló.

—¡Qué maravilla! ¡Qué maravilla! —gritaba Chucu mientras saltaba y bailaba de alegría. De su flauta salían las notas más hermosas. Era la música de las montañas.

—Vamos. Si nos apuramos llegaremos al pueblo a tiempo para que toques en el carnaval —le dijo su hermana.

Chucu iba tan contento que tocó su flauta todo el camino. Los hermanos marcharon sin parar hasta que divisaron su pueblo. Desde lejos vieron a sus familiares y sus vecinos, que bailaban, cantaban y tocaban alegremente sus instrumentos.
El carnaval había comenzado y todos celebraban las abundantes cosechas.

Con su flauta en la mano, Chucu se integró al grupo de músicos. Orgulloso, comenzó a soplar. Todos se asombraron con las maravillosas melodías que salían de su instrumento.

—¡Qué bien tocas! ¡Qué música más linda! —le dijeron.

Chucu estaba feliz de participar en una fiesta tan importante para su pueblo.

Su abuelo lo miraba sonriente desde lejos, mientras los hombres aymara hacían sonar sus instrumentos y las mujeres cantaban alegremente. El niño tocó su flauta sin descanso, durante todos los días que duró la fiesta.

GLOSARIO

Aymara: pueblo que desarrolló su cultura en un territorio que hoy es parte de Bolivia, Perú, Argentina y Chile. En Chile los aymara vivían en quebradas, valles y oasis de la precordillera de las regiones de Arica y Parinacota y de Tarapacá. Allí tenían sus aldeas, los cultivos que les servían de alimento y sus rebaños de animales. También habitaban pampas y montañas del altiplano cercano a la frontera con Bolivia. Actualmente, los aymara que mejor conservan su cultura viven en pueblitos y estancias tradicionales de la cordillera y la precordillera. Se dedican a la agricultura y la ganadería de corderos, llamas, vicuñas, guanacos y alpacas. Muchos mantienen su lengua —el aymara— y también hablan castellano. Pero en los últimos 130 años, la mayoría de la población aymara ha bajado del altiplano hacia puertos como Iquique y Arica o a centros mineros, se ha mezclado con gente que no es nativa y ha comenzado a perder su cultura.

Choclo: es el maíz en estado tierno, de sabor dulce. Existen más de 20 variedades y es uno de los principales cultivos tradicionales de los aymara. Actualmente, es el cereal más cultivado del mundo. En aymara, maíz se dice "tunqu".

Quinoa: es un cereal que crece en Chile, Argentina, Perú, Bolivia, Colombia y Ecuador. Los pueblos andinos lo cultivan desde hace unos 5 mil años. En la antigüedad era una de sus principales fuentes de alimentación. Los granos de quinoa se tuestan para hacer harina o se cuecen para añadirlos a las sopas o usarlos como pastas o cereales. Fermentada, la quinoa sirve para fabricar cerveza o chicha. En aymara, quinoa se dice "jupha".

Vertiente: sitio por donde corre o puede correr el agua. Las vertientes tienen una importancia especial en el altiplano y la precordillera, porque el suelo y el clima son secos y el agua escasea.

Sereno: según la creencia aymara, el Sereno es un espíritu que vive en los lugares donde el agua surge de la tierra o produce algún sonido. Como el Sereno permite escuchar y resguarda los ruidos, los aymara lo asocian a los músicos y sus instrumentos. A veces se representa con cachos y cola, como una sirena, un pez, un sapo grande, una figura diabólica o una bestia que se arrastra por la tierra o el agua.

Pachamama: nombre que le dan los pueblos andinos a la Madre Tierra. La Pachamama es la tierra fértil que alimenta a las personas y genera toda la vida del mundo. Es la diosa femenina de la tierra y la fertilidad. Los aymara consideran que cuida y protege a los humanos.

Carnaval: entre los aymara, el carnaval es la fiesta que celebra el comienzo de las cosechas. Los agricultores le dan gracias a la Pachamama, la Madre Tierra, por las primeras frutas, papas y choclos, y también por el ganado.